UM DIA "DAQUELES"

Edição de Bolso

Outros livros de Bradley Trevor Greive:

Querida mamãe, obrigado por tudo

O sentido da vida

Em busca do príncipe encantado

A incrível verdade sobre as mães

Preciosidades

O amanhã

THE **Taronga** FOUNDATION

TARONGA ZOO — WESTERN PLAINS ZOO

Inspirando a nossa comunidade para criar um futuro melhor para a vida animal e nossos filhos

Bradley Trevor Greive adora animais e apoia com orgulho a Taronga Foundation. Para descobrir como você pode facilmente contribuir, adotando um animal ou fazendo uma doação para programas de pesquisa e reprodução, visite o site www.tarongafoundation.com.

UM DIA "DAQUELES"

Edição de Bolso

Uma lição de vida para levantar o seu astral

Bradley Trevor Greive

SEXTANTE

tradução: Pedro Bandeira
tradução do prefácio: Marilena Moraes
capa: Raul Fernandes
revisão: Sérgio Bellinello Soares
impressão e acabamento: Lis Gráfica e Editora Ltda.

CIP-BRASIL. CATALOGAÇÃO-NA-FONTE
SINDICATO NACIONAL DOS EDITORES DE LIVROS, RJ.

G841d Greive, Bradley Trevor, 1970 –
Um dia "daqueles": edição de bolso / Bradley Trevor Greive; tradução de Pedro Bandeira. – Rio de Janeiro: Sextante, 2004.
il.

Tradução de: The blue day book
ISBN 85-7542-116-6

1. Melancolia – Miscelânia. 2. Motivação (Psicologia) – Miscelânia. 3. Conduta – Miscelânia. 4. Animais – Obras ilustradas. I. Título

04-0602 CDD 152.4
CDU 159.942

GMT Editores Ltda.
Rua Voluntários da Pátria, 45 – Gr. 1.404 – Botafogo
22270-000 – Rio de Janeiro – RJ
Tel.: (21) 2538-4100 – Fax: (21) 2286-9244
E-mail: atendimento@esextante.com.br
www.sextante.com.br

Agradecimentos

Há tantas fotos incríveis neste livro que não seria possível creditar cada uma delas no espaço de que dispomos. Mas eu gostaria de dizer que a mágica contida em cada imagem fala de um talento e propósito que minha prosa desajeitada só poderia desvalorizar. Que maravilhosa espécie de artista pode extrair tanto em uma fração de segundo? Obrigado.

Um livro como este parece muito simples. Mas não é. Eu devo muito a várias pessoas que me encorajaram a seguir com este projeto, particularmente depois das cinco primeiras rejeições. Minhas adoráveis irmãs Linley e Vanessa, meus queridos amigos Basquali Skamaachi, Siimon Reynolds, Imogem Banks e Jane Malone. Menção especial é devida a Sue Greaves, Emma McClure e Norma Scott, que me deixaram invadir seus arquivos fotográficos sem hesitação, e, é claro, à minha editora Christine Schillig e ao seu time da Andrews McMeel, que transformaram um rascunho neste pequeno e maravilhoso livro.

Sou particularmente grato a Al Zuckerman, meu gerente da Writers House em Nova York, e à sua fiel e sabichona assistente Fay Greenfield. Desejo também agradecer especialmente à superestrela do marketing Leslie Ferraro, que fez com que um pobre artista australiano tivesse a sua oportunidade. Com amigos como esses, é impossível falhar.

Prefácio

Desde que demos um nome a este planeta, o chão tem literalmente trocado de lugar sob nossos pés. Assim como é certo que a geografia das grandes nações é alterada pelas evidentes convulsões da superfície da Terra, ocorre também uma mudança gradativa, mas substancial em última análise, que nos conduz em direção ao nosso destino de uma forma surpreendente. No que se refere a mim, sou muito agradecido ao inesperado! Quando escrevi *Um dia "daqueles"*, quem poderia imaginar que um livro sem maiores pretensões transformaria a minha vida? Mas foi o que aconteceu. Este livro, além de me dar motivos para rir quando eu precisava muito rir, fez com que, para minha surpresa e prazer, pessoas do mundo inteiro partilhassem comigo, felizes, uma forma tão especial de ver o mundo.

O sucesso internacional da série de *Um dia "daqueles"* mudou a minha vida, especialmente sob dois aspectos – primeiro (e principalmente), pude "me aposentar cedo" dos meus muitos empregos extras (inclusive servir como garçom num restaurante mexicano, trabalhar numa siderúrgica, cortando e soldando, e até promover chocolates vestido com uma enorme roupa vermelha de M&M), para me dedicar à minha ocupação preferida – escrever. Isto é um grande privilégio, pelo qual sou eternamente grato.

A outra grande mudança foi a oportunidade de viajar por causa do trabalho. Com os livros agora vendidos em mais de trinta e cinco países, tive a sorte de visitar muitos lugares que, até então, só conhecia em sonhos – Islândia, Taiwan, Canadá, Alemanha e as ilhas Fiji, só para citar alguns. Fiquei feliz em conhecer muitos dos meus leitores e donos de livrarias de países do mundo todo, que tornaram possível o meu sucesso.

Sem dúvida, a viagem mais incrível foi a minha primeira visita ao Brasil – essa terra tão vasta e exótica era o país que eu tinha mais vontade de conhecer. Como sou um empolgado pela natureza, mal pude esperar para ver as estranhas criaturas sobre as quais já lera bastante. Também estava ansioso para descansar e me divertir no genuíno estilo brasileiro – afinal de contas, no Brasil acontece a maior festa da Terra. Eu também soubera que no Brasil estavam as mulheres mais bonitas do mundo e – embora tenha me mostrado tranquilo e profissional com os meus editores – tenho de admitir que essa era uma informação muito interessante para um solteiro ainda, digamos, jovem, como eu.

O que posso dizer? As coisas não aconteceram exatamente como me disseram – tudo foi muito melhor. Fiquei completamente apaixonado pelo Brasil e, se tivesse tido tempo de procurar, teria comprado uma casa numa praia perto do Rio (uma possibilidade sobre a qual penso seriamente para o futuro). Eu me diverti muito, fazendo novos amigos, experimentando coisas novas. Na hora de regressar, já fazia planos para voltar ao Brasil muitas vezes.

O Brasil e a Austrália têm muito em comum. Os australianos e os brasileiros têm grande senso de humor e levam a vida sem esquentar muito a cabeça. Não ligamos muito para autoridade, detestamos que digam como devemos viver a nossa vida e temos coisas melhores a fazer com o nosso tempo do que discutir política. Gostamos de lugares inexplorados, gostamos do brilho do sol e do nosso esporte – embora eu, como jogador de rugby, ainda não tenha conseguido entender por que, no Brasil, vocês não podem pegar a bola de futebol com as mãos e correr com ela pelo campo... mas estou aprendendo. Os dois países são praticamente do mesmo tamanho, mas a grande diferença é que o Brasil é muito verde e exuberante comparado com os grandes desertos vermelhos da Austrália – mas os dois têm paisagens majestosas e verdadeiramente bonitas para se admirar. Também me diverti observando como os brasileiros dançam incrivelmente bem, enquanto os australianos são tão sem ritmo – espero ter umas aulas na próxima visita porque, por ora, eu danço parecendo um gorila atrapalhado tentando andar de salto alto, nada bonito de se ver.

Desfrutar tal sucesso no Brasil me proporcionou uma enorme alegria e a oportunidade de fazer grandes amigos. Fico emocionado em saber que tantas pessoas ficaram felizes em ler meus livros quase tanto como eu fiquei feliz em escrevê-los.

Espero que esta edição especial de *Um dia "daqueles"* lhe dê uma razão para sorrir quando você precisar sorrir. Funcionou comigo muitas vezes e sei que vai funcionar com você também.

Para terminar, quero dizer que tenho orgulho em ser o filho australiano da família da Editora Sextante e envio meus agradecimentos sinceros a Marcos e Tomás da Veiga Pereira e sua equipe sensacional por tudo que fizeram para tornar minha vida tão maravilhosamente imprevisível. Desde que meus amigos brasileiros receberam meu trabalho com carinho em suas casas e em seus corações, nunca mais tive na vida um momento sem graça – o que mais poderia alguém desejar?

Muito obrigado novamente por me tratarem tão bem. Espero, ansioso, pela minha próxima visita ao Brasil e, vocês aí, se por acaso virem um gorila atrapalhado de salto alto se deliciando com uma ou duas caipirinhas enquanto o sol se põe, não se esqueçam de se aproximar e dar um alô.

Bradley Trevor Greive

Todo mundo tem um dia “daqueles”.

São dias miseráveis, quando você se sente um lixo,

sem ânimo para nada,

sozinho no mundo

e literalmente "acabado".

São dias em que você se sente minúsculo, insignificante,

e tudo parece fora de alcance.

Você não consegue levantar *naaada*.

Começar qualquer coisa parece impossível.

Em dias assim, você pode se tornar paranoico, achando que todo mundo está a fim de te pegar.

Você se sente frustrado e ansioso,

com ganas de roer as unhas,

o que pode, num piscar de olhos, transformar-se na incontrolável compulsão de devorar um bolo de chocolate inteirinho.

Num dia "daqueles", você se sente mergulhado num oceano de tristeza.

Você fica a ponto de se derreter em lágrimas,
sem ao menos saber por quê.

Você se sente como se estivesse
perambulando pela vida sem propósito.

Você nem sabe quanto tempo mais dá pra se segurar.

Dá até vontade de gritar:
"Vamos, acabem logo com isto!"

E nem precisa muito para começar um dia "daqueles".

Talvez você acorde sentindo que
sua cara não está das melhores,

descubra algumas novas rugas,

que ganhou uns quilinhos a mais,

ou que nasceu “aquela” espinha no nariz.

Você pode se esquecer do aniversário de sua namorada

ou ver que alguém tirou sua foto com cara de bobo.

Você pode ser descartado, abandonado ou despedido,

fazer papel de idiota em público,

receber um apelido constrangedor,

ou simplesmente levar uma "lavada" de alguém.

Talvez o seu trabalho seja um espeto...

Você pode estar sendo pressionado
a preencher a vaga de outra pessoa,

seu chefe pode estar de olho em você

e todo mundo no escritório está te deixando doido.

Você pode acabar com uma tremenda dor de cabeça,

uma hérnia de disco,

mau hálito,

dor de dente,

gases,

boca seca,

ou uma maldita unha encravada!

Qualquer que seja a razão, você acaba convencido de que alguém lá em cima não vai com a sua cara...

Ai, o que fazer? O que *fazeeeer?*

Bom, se você é como todo mundo, pode se agarrar à crença idiota de que tudo há de dar certo no fim.

Daí, você vai passar o resto da vida
olhando por cima do ombro à espera da próxima cilada
que o destino está reservando para você.

Vai se tornar cínico e rabugento,

ou uma vítima chorona e patética...

E a coisa vai por aí, até você se sentir deprimido,
com vontade de deitar-se
e implorar para que a terra o engula de uma vez.

Ou, o que é pior, achar que não dá mais
pra tocar em frente.

Isto é uma loucura, porque só se é jovem uma vez

e não se fica velho duas vezes.

Quem pode dizer quais as coisas fantásticas que estão logo ali, no virar da esquina?

Afinal de contas, o mundo está cheio
de descobertas surpreendentes,

coisas que você nem imagina!

Há perfumes deliciosos

e apetitosas refeições a dividir!

Você pode até tornar-se fabulosamente rico

e um dia até uma enorme superestrela!

Parece bom, não é?

Mas espere, tem mais!

Há reviravoltas na vida,

brincadeiras,

ioga,

karaoquê

e danças malucas, selvagens...

Mas o melhor de tudo é que há romance.

O que pode significar olhares sonhadores,

besteirinhas sussurradas ao ouvido,

chamegos,

beijocas,

mais beijocas

e ainda mais beijocas,

até uma ou outra mordidinha de amor.

Bom, daí, tudo pode rolar...

E o que é preciso fazer para você se sentir como se estivesse mergulhado numa deliciosa banheira de espuma?

É fácil!

Em primeiro lugar, pare de se esconder pelos cantos.
É hora de ir à luta!

Relaxe... Inspire e solte o ar lentamente pela boca.
Tente meditar.

Ou saia para um passeio para refrescar a cabeça.

Aceite o fato que você vai ter de deixar para trás
uma certa carga emocional...

Tente ver as coisas de outro ângulo.

Talvez um pouco da culpa seja sua. Se for esse o caso,
tenha a coragem de pedir desculpas.
Nunca é tarde para isso.

Se alguém estiver pisando na bola, levante a cabeça
e diga: "Isso está errado e eu não vou engolir!"
É bom ser enérgico de vez em quando.

Mas pegue leve. Nem sempre é bom botar pra quebrar.

Orgulhe-se de ser como você é,

mas nunca perca a capacidade de rir de si mesmo.

Isto é bem mais fácil quando você está
no meio de gente alegre.

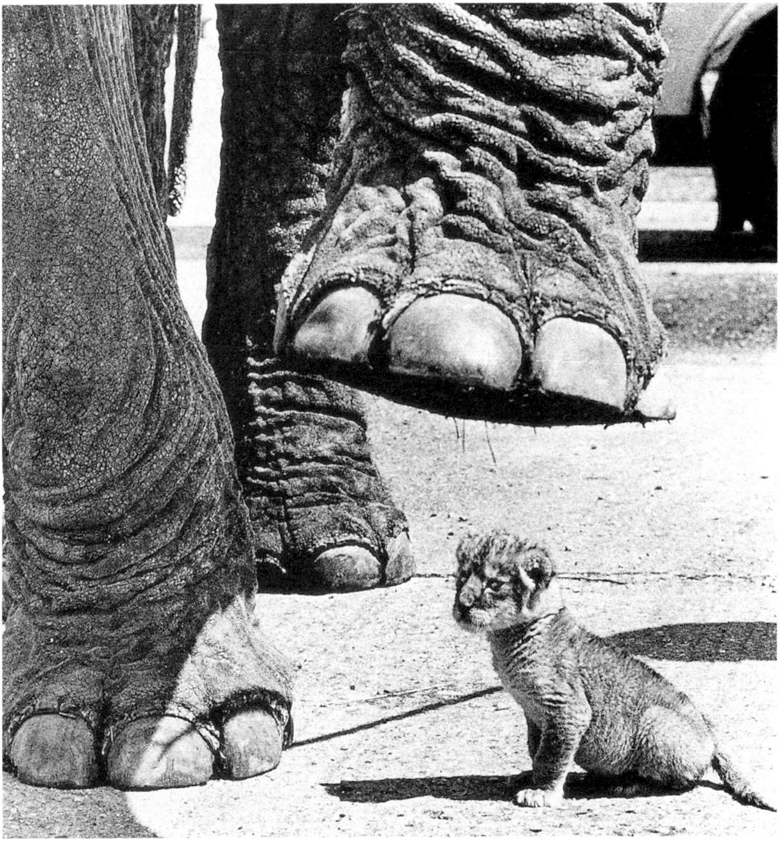

Viva cada dia como se fosse o último,
porque um dia vai ser mesmo.

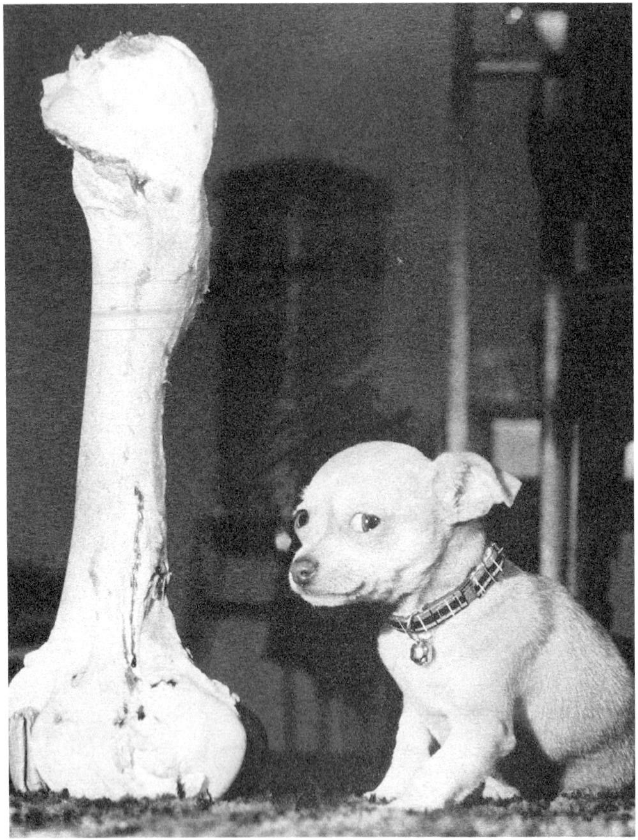

Não hesite em abocanhar mais do que você pode.

Assuma riscos.

Jamais recue. Meta as caras! Vá em frente!

Afinal de contas, a vida não é uma loucura?

Bom, pelo menos é isso que eu acho.

Conheça outros títulos do autor

Querida mamãe, obrigado por tudo

Nem sempre é fácil achar as palavras certas para dizer o quanto gostamos de nossas mães. Como agradecer por toda dedicação, amor e cuidado que recebemos?

Querida mamãe vai ajudar os filhos de todas as idades (especialmente os que se dizem crescidos) a expressar esses sentimentos tão fundamentais com uma divertida combinação de palavras e extraordinárias fotografias de animais.

O sentido da vida

Qual é o sentido da vida? Ao longo da História, grandes filósofos quebraram a cabeça à procura de uma resposta. Agora Bradley Trevor Greive dá sua contribuição inteligente e bem-humorada a um dos maiores debates da humanidade.

O sentido da vida é um excelente presente. Afinal, todos nós gostaríamos de decifrar a razão de nossa existência, mas, enquanto não conseguimos, o melhor é sorrir e aproveitar a vida. Mesmo que ela não tenha nenhum sentido.

Obrigado por existir

Quantas vezes você já se arrependeu por não ter agradecido adequadamente às pessoas importantes da sua vida? Pode ser um amigo, um parente ou seu grande amor – sempre existe alguém que torna sua existência mais divertida.

Misturando curiosas fotos de animais com um texto bem-humorado, *Obrigado por existir* é uma ótima maneira de finalmente dizer a essas pessoas quanto elas são especiais.

Uma pitada de coragem

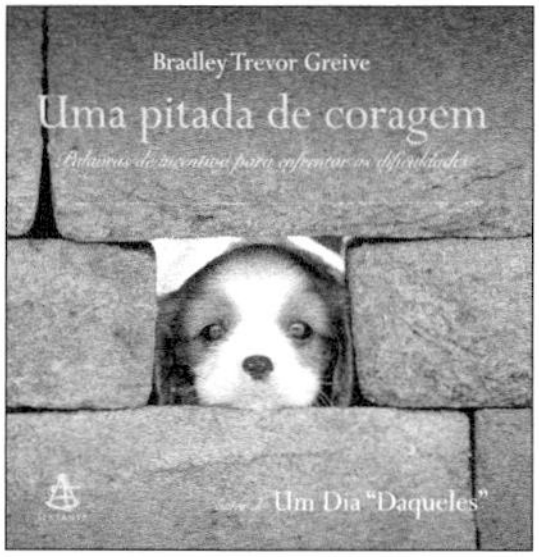

Uma pitada de coragem oferece dicas para todos que enfrentam tempos difíceis – aqueles momentos de desespero em que você prefere voltar para debaixo das cobertas em vez de encarar o mundo novamente.

Bradley Trevor Greive reconhece a universalidade do medo, da angústia e da ansiedade para, em seguida, nos mostrar que nascemos preparados para superar todos os importantes desafios da vida.

Usando imagens bem-humoradas de animais, Bradley reforça que é possível vencer o medo e dar a volta por cima. Este livro é um ótimo presente para quem precisa dar boas risadas e ouvir palavras de incentivo.

INFORMAÇÕES SOBRE OS PRÓXIMOS LANÇAMENTOS

Para saber mais sobre os títulos e autores da EDITORA SEXTANTE, visite o site www.sextante.com.br, curta a página facebook.com/esextante e siga @sextante no Twitter. Além de informações sobre os próximos lançamentos, você terá acesso a conteúdos exclusivos e poderá participar de promoções e sorteios.

Se quiser receber informações por e-mail, basta cadastrar-se diretamente no nosso site ou enviar uma mensagem para atendimento@esextante.com.br

www.sextante.com.br

facebook.com/esextante

twitter: @sextante

Editora Sextante
Rua Voluntários da Pátria, 45 / 1.404 – Botafogo
Rio de Janeiro – RJ – 22270-000 – Brasil
Telefone: (21) 2538-4100 – Fax: (21) 2286-9244
E-mail: atendimento@esextante.com.br

Créditos Fotográficos

As fotografias reproduzidas neste livro são autorizadas pelas seguintes instituições:

AUSTRAL INTERNATIONAL (Sydney)
Level 5 – 1 Chandos Street – ST LEONARDS – NSW 2065 – Australia

AUSTRALIAN PICTURE LIBRARY (Sydney)
Suite 1 – 2 Northcote Street – ST LEONARDS – NSW 2065 – Australia

IPL IMAGE GROUP (Sydney)
Level 2 – 68 Alfred Street – MILSONS POINT – NSW 2061 – Australia

Qualquer informação adicional sobre os créditos e contatos fotográficos cujos trabalhos aparecem nos livros de Bradley Trevor Greive pode ser obtida no site www.btgstudios.com.